Kilo et Ti-pou

À ma mère et à tous nos petits compagnons — S.H.

Pour Errol — L.H.

Catalogage avant publication de la
Bibliothèque nationale du Canada

Hood, Susan
Kilo et Ti-pou / Susan Hood ; illustrations de Linda Hendry ;
texte français d'Hélène Pilotto.

(J'apprends à lire)
Traduction de: Pup and hound.
Pour les 3-6 ans.
ISBN 0-439-96696-5

I. Hendry, Linda II. Pilotto, Hélène III. Titre. IV. Collection.

PZ26.3.H66Ki 2004   j813'.54   C2004-901211-8

Conception graphique : Julia Naimska

Édition publiée par les Éditions Scholastic, 175 Hillmount Road,
Markham (Ontario) L6C 1Z7, avec la permission de Kids Can Press Ltd.

5 4 3 2 1   Imprimé en Chine   04 05 06 07

Kilo et Ti-pou

Texte de Susan Hood

Illustrations de Linda Hendry

Texte français d'Hélène Pilotto

Éditions SCHOLASTIC

Kilo entend un bruit.

On dirait un cri.

Kilo regarde autour de lui.

Il fouille les environs…

et trouve d'où vient le son.

C'est quelque chose de petit

et de rond, roulé en boule

dans le gazon!

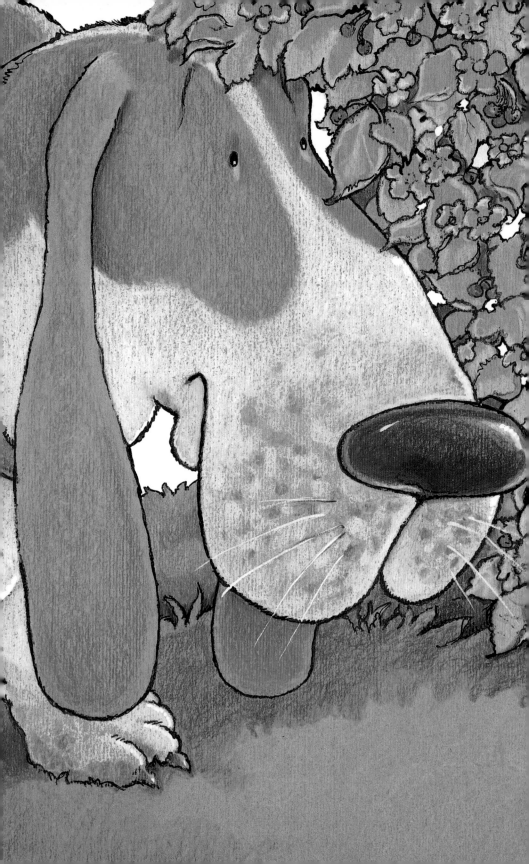

C'est Ti-pou

qui se plaint.

Il a faim!

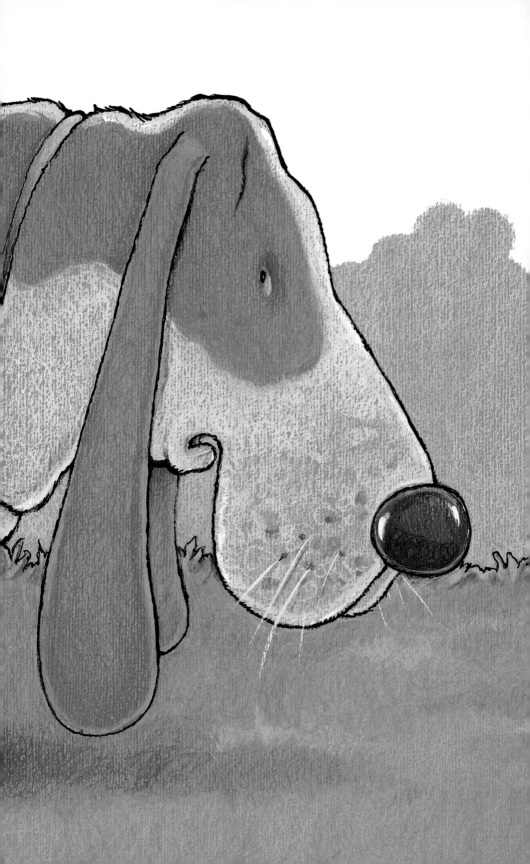

— Bou-hou! fait Ti-pou.

Mon ventre fait glouglou!

Kilo cherche partout.

Il trouve un bâton!

Hum! Pas très bon...

Et ce soulier, là?

Pouah!

Un os? Ce serait bien.

Rien!

Enfin, Kilo déniche
un vrai délice.

Miam! Une saucisse!

Ti-pou la dévore avec entrain.

Le pauvre Kilo, lui, n'a rien!

Tant pis.

Il lui reste le bâton.

— Beaux rêves! dit Kilo

à son nouveau compagnon.